Insectes et bestioles

Texte : **Brian Holley**
Directeur, Jardins,
Royal Botanical Gardens

Rédacteurs : **Nadia Pelowich, Paul Hayes**
Curtis Rush

Conception graphique : **J.T. Winik**

Illustrations : **Diane Gruettner, Diane Black**
Denis Gagne

Couverture : **Rick Rowden**

Texte français : **Marthe Faribault, Lucie Duchesne**

ISBN 0-590-71870-3

Titre original: Bugs & Critters

Édition publiée par Scholastic-TAB Publications Ltd., 123 Newkirk Road, Richmond Hill, Ontario, Canada L4C 3G5, avec la permission de Hayes Publishing Ltd.

4321   Imprimé à Hong-Kong   789/8

Scholastic-TAB Publications Ltd.,
123 Newkirk Road, Richmond Hill, Ontario, Canada

LES INSECTES
ne ressemblent pas aux autres animaux!

LES INSECTES ONT : six pattes et une carapace dure (exosquelette) qui recouvre tout le corps. Leur corps se compose de trois parties : la tête, le thorax et l'abdomen.

Chaque partie a une fonction différente :

L'abdomen renferme le coeur, l'appareil digestif et l'appareil respiratoire.

La tête, comme chez l'homme, comprend la bouche, les yeux et le cerveau. Mais les insectes ont en plus des antennes qui leur permettent de très bien percevoir les mouvements autour d'eux.

ABDOMEN ▲

THORAX ▲
Le thorax est le centre de la locomotion. Il renferme les muscles qui permettent à l'insecte de bouger ses ailes et ses pattes.

LES INSECTES N'ONT PAS :

D'os : les mammifères, les poissons, les oiseaux, les amphibiens et les reptiles ont des squelettes internes formés d'os;

De nez : la plupart des insectes perçoivent les odeurs grâce à leurs antennes. Certains papillons perçoivent les odeurs grâce à leurs pieds!

DEMOISELLE

TÊTE ▼

BOURDON

PAPILLON LUNE

COCCINELLE

SCOLOPENDRE

LESQUELS SONT DES INSECTES?

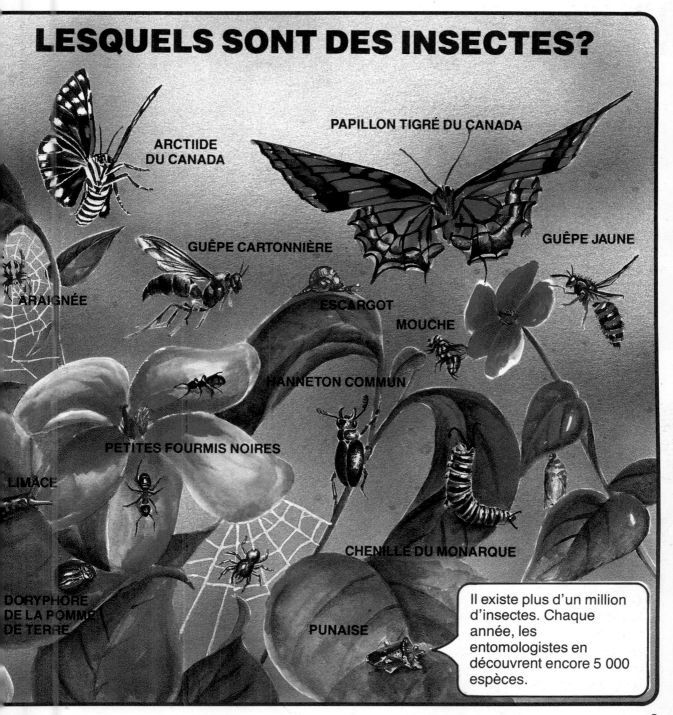

ARCTIIDE DU CANADA

PAPILLON TIGRÉ DU CANADA

GUÊPE JAUNE

GUÊPE CARTONNIÈRE

ARAIGNÉE

ESCARGOT

MOUCHE

HANNETON COMMUN

PETITES FOURMIS NOIRES

LIMACE

DORYPHORE DE LA POMME DE TERRE

CHENILLE DU MONARQUE

PUNAISE

Il existe plus d'un million d'insectes. Chaque année, les entomologistes en découvrent encore 5 000 espèces.

TAILLES FINES ET AILES ÉCAILLEUSES

Pour classer les insectes en familles, les entomologistes cherchent leurs caractéristiques communes. On peut classer beaucoup d'insectes en deux grands groupes : les insectes à taille fine et les insectes à ailes couvertes d'écailles.

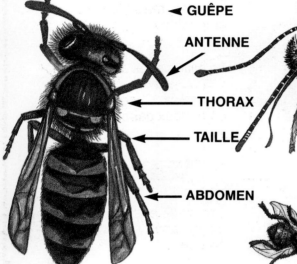

◄ GUÊPE

ANTENNE

THORAX

TAILLE

ABDOMEN

▲ ÉCAILLES

Les papillons (de jour et de nuit) appartiennent au groupe des insectes à ailes écailleuses. Leurs ailes sont recouvertes d'écailles. Si tu touches l'aile d'un papillon, les écailles collent à tes doigts, comme une poudre colorée.

MOUCHE ▼

La plupart des insect◄ entendent grâce au fin du◄ qui recouvre leur corps.

Les abeilles, les guêpes et les fourmis ont toutes une taille fine qui sépare le thorax de l'abdomen.

Les mouches appartiennent à un autre groupe. Elles n'ont qu'une seule paire d'ailes.

UNE MERVEILLEUSE MACHINE

Les insectes peuvent avoir deux types d'yeux. La plupart des insectes ont trois YEUX SIMPLES sur le dessus de la tête. Ces yeux peuvent percevoir les changements de luminosité. Certains insectes, comme la mouche, ont deux énormes YEUX COMPOSÉS de chaque côté de la tête. Ces yeux composés sont constitués de centaines de petits yeux. Avec autant d'yeux, un insecte devrait avoir une très bonne vue. Mais non! Voici ce que voit une mouche quand elle regarde une fleur.

OEIL COMPOSÉ ▶

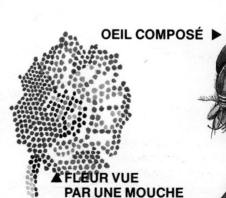

▲ FLEUR VUE PAR UNE MOUCHE

Les coléoptères ont-ils une taille fine ou des ailes écailleuses? Ni l'un, ni l'autre. Ils constituent une autre famille d'insectes, caractérisés par une paire d'ailes dures, les élytres, qui protègent les ailes fragiles servant au vol. ▼

Les os donnent leur rigidité aux ailes des oiseaux. Chez les insectes, c'est un réseau de petits tubes rigides, les nervures, qui renforce les ailes.

ERVURES

COMME LES INSECTES, CES ANIMAUX ONT UN EXOSQUELETTE, MAIS . . .

◄ Les araignées ont huit pattes. Leur corps n'a que deux parties. Ce ne sont pas des insectes, mais bien des arachnides.

Le mille-pattes a un corps composé d'une centaine de segments. Chaque segment porte deux paires de pattes. ▼

Ces caractéristiques en font un myriapode, et non pas un insecte.

LES INSECTES SONT INCROYABLEMENT FORTS.

FOURMI

La fourmi peut soulever 450 fois son poids. Si tu pouvais en faire autant, tu pourrais soulever un autobus. Mais si la fourmi était aussi grande que toi, sa carapace serait si lourde qu'elle ne serait même pas capable de bouger.

La puce peut sauter une longueur 200 fois supérieure à la longueur de son corps. Au saut en longueur, les athlètes olympiques sautent seulement trois fois la longueur de leur corps.

GROSSEUR RÉELLE DE LA PUCE •

ON CHANGE D'ARMURE

La carapace (exosquelette) qui recouvre le corps des insectes est comme une armure. Elle ne peut pas grandir. Les insectes gardent une armure de rechange toute pliée à l'intérieur de leur corps. Quand l'insecte grandit et devient trop grand pour son armure, sa carapace se fendille. L'armure de rechange sort, se déplie, sèche à l'air libre et devient aussi dure que l'ancien exosquelette. Les insectes changent ainsi plusieurs fois de peau avant d'atteindre l'âge adulte.

LA PLUPART DES INSECTES PONDENT DES OEUFS

Les oeufs de la livrée forment un anneau cristallin autour de la branche.

Les oeufs de la chrysope sont retenus par un mince filament.

La coccinelle pond jusqu'à 1 000 oeufs sur les feuilles des plantes.

MÉTAMORPHOSE INCOMPLÈTE

Chez certaines espèces, le jeune insecte ressemble à un adulte en miniature. Il ne lui reste qu'à grandir. Ces insectes ont trois stades de développement au lieu de quatre :

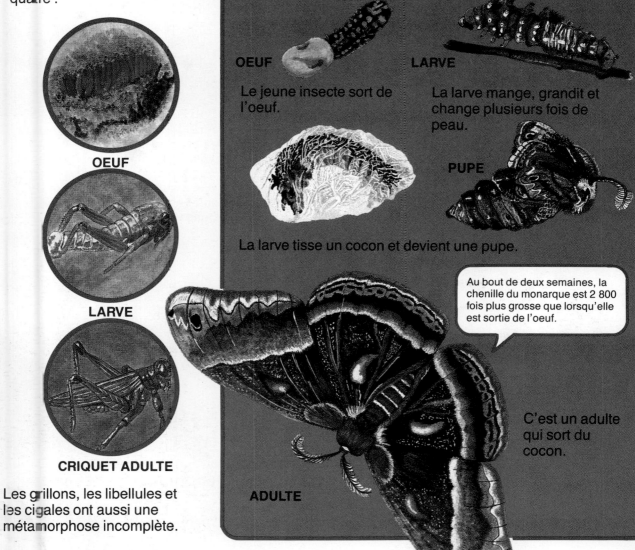

OEUF

LARVE

CRIQUET ADULTE

Les grillons, les libellules et les cigales ont aussi une métamorphose incomplète.

UN, DEUX, TROIS! ÇA Y EST!

La métamorphose est la série de changements que subit l'insecte pour devenir adulte.

MÉTAMORPHOSE COMPLÈTE

Les coléoptères, les mouches, les insectes à taille fine et les insectes à ailes écailleuses subissent tous une métamorphose complète. Les jeunes insectes ne ressemblent pas du tout aux adultes. La métamorphose complète comprend quatre stades : l'oeuf, la larve, la pupe et l'adulte.

OEUF

Le jeune insecte sort de l'oeuf.

LARVE

La larve mange, grandit et change plusieurs fois de peau.

PUPE

La larve tisse un cocon et devient une pupe.

Au bout de deux semaines, la chenille du monarque est 2 800 fois plus grosse que lorsqu'elle est sortie de l'oeuf.

C'est un adulte qui sort du cocon.

ADULTE

7

LES GUÊPES

Les guêpes s'occupent très bien de leurs petits.

La guêpe potière construit un nid d'argile. Après avoir pondu ses oeufs dans le nid, elle part à la chasse aux chenilles qu'elle dépose dans les alvéoles du nid, avec les oeufs. Puis, elle bouche les alvéoles. Quand les oeufs éclosent, les larves se nourrissent de la chair des chenilles. ▶

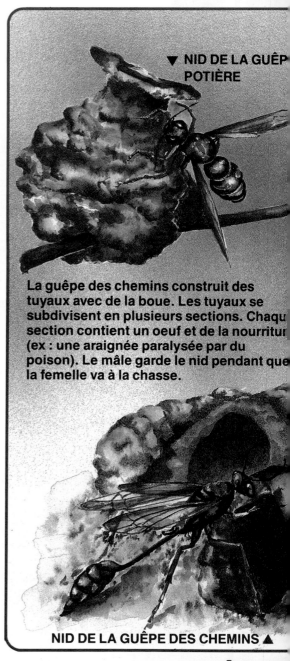

▼ NID DE LA GUÊPE POTIÈRE

La guêpe des chemins construit des tuyaux avec de la boue. Les tuyaux se subdivisent en plusieurs sections. Chaque section contient un oeuf et de la nourriture (ex : une araignée paralysée par du poison). Le mâle garde le nid pendant que la femelle va à la chasse.

NID DE LA GUÊPE DES CHEMINS ▲

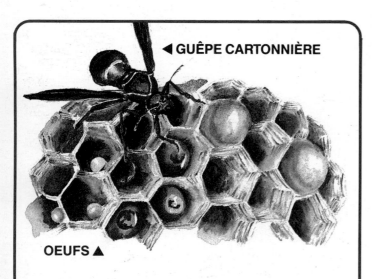

◀ GUÊPE CARTONNIÈRE

OEUFS ▲

La guêpe cartonnière mâche du bois pour en faire de la pulpe. Elle étend cette pulpe en minces couches pour construire son nid qui est formé de nombreuses cellules, ou alvéoles.

LES GUÊPES
GRAND SOI

BIZARRERIES DE LA NATURE . . .

◄ Certaines espèces de guêpes pondent leurs oeufs dans le corps des chenilles. Quand la larve sort de l'oeuf, elle mange la chenille. Bien pire! Certaines espèces de guêpes pondent leurs oeufs dans les larves d'autres espèces de guêpes.

▼CYNIPS GALLICOLE

Le cynips gallicole pond ses oeufs dans les branches du rosier. Sa piqûre provoque une excroissance anormale de la branche. Les jeunes insectes vivent bien à l'abri dans ce drôle de nid.

Beaucoup d'animaux ont peur des piqûres de guêpes. Certains insectes imitent les couleurs de la guêpe pour tromper leurs prédateurs.

▲ En général, ces nids sont construits à la verticale, contre une pente abrupte ou contre le mur d'un édifice.

RENNENT
E LEURS PETITS...

VILLES D'INSECTES

Certaines espèces d'insectes, comme les termites, vivent en groupes très nombreux. Les termites construisent des maisons extraordinaires, appelées termitières.

En Afrique, il existe une espèce de termite qui construit de véritables gratte-ciel de 6 m de large!

Le miel est la réserve alimentaire de la ruche. Il provient de l'évaporation du nectar. Pour accélérer le processus d'évaporation, les abeilles battent des ailes. Elles provoquent ainsi un courant d'air qui fait «sécher» le nectar. ▶

TERMITE SOLDAT

En Amérique du Nord, les termites construisent leurs termitières dans du bois; parfois, même dans les poutres et les planches des maisons!

3 Lorsque l'ouvrière a trois ▲ semaines, elle quitte la ruche pour aller cueillir le pollen et le nectar. L'ouvrière a des petits paniers sur ses pattes postérieures pour transporter le pollen.

LA VIE DANS LA RUCHE

(2) L'ouvrière possède une glande qui produit de la cire. Pendant une semaine, elle construit et répare les alvéoles de la ruche. ▶

Les abeilles aussi vivent en groupes très nombreux. Leur ruche, comme nos villes, bourdonnent d'activité. Il y a beaucoup de travail à faire. Regarde tout ce qui se passe dans la ruche.

◀ L'ouvrière danse pour indiquer aux autres abeilles où trouver le nectar. Grâce aux figures et à la vitesse de la danse, les autres abeilles peuvent savoir où se trouve le nectar, à quelle distance et en quelle quantité.

◀ La ruche est formée de rayons. Chaque rayon est constitué de cellules hexagonales, les alvéoles. Les alvéoles servent de remise pour le miel et le pollen; elles servent aussi de pouponnières pour les larves.

Quand la ruche devient surpeuplée, la vieille reine et une partie de la colonie partent pour fonder une nouvelle ruche (on dit qu'elles essaiment). ▼

Il n'y a qu'une reine par ruche. Elle ne fait que pondre des oeufs. ▶

◀ Une ruche abrite environ 60 000 ouvrières. Pendant ses deux premières semaines de vie, l'ouvrière nourrit les larves et en prend soin. Ensuite, elle produit de la cire (2), puis cueille le pollen (3).

Le faux-bourdon est le mâle ▲ de l'abeille. Son rôle est de féconder la reine. Il y a environ 1 000 faux-bourdons dans une ruche.

En Amérique du Nord, les abeilles sont les seuls insectes domestiqués. Ce sont les colons européens qui les ont amenées avec eux au XVIIe siècle.

11

LES FOURMIS

FERMIÈRES, FOURMIS-PARASOLS ET GUERRIÈRES

La plupart des fourmis vivent sous terre, mais certaines construisent une fourmilière à la surface. Certaines fourmilières peuvent mesurer plus de 1 m de diamètre.

Lorsque le chef de file se met au travail, les autres viennent l'aider. Comment le chef de file réussit-il à savoir ce qu'il y a à faire? Personne ne l'a découvert. C'est un mystère.

> La reine peut vivre jusqu'à 15 ans!

Les chambres de la fourmilière servent à élever les larves et à emmagasiner la nourriture.

La fourmi n'a pas une bonne vue, mais elle a un excellent odorat. Si une fourmi trouve de la nourriture, elle reviendra vers le nid en dégageant sur son chemin une odeur qui permettra aux autres fourmis ouvrières de reconnaître le chemin. Tu peux le vérifier. Si tu vois une colonne de fourmis, coupe leur chemin avec ton doigt. Qu'arrive-t-il alors?

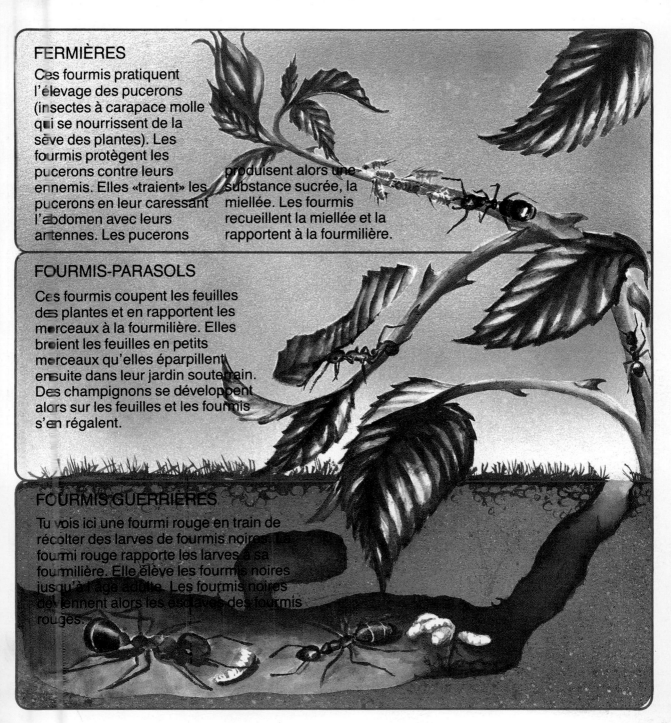

FERMIÈRES

Ces fourmis pratiquent l'élevage des pucerons (insectes à carapace molle qui se nourrissent de la sève des plantes). Les fourmis protègent les pucerons contre leurs ennemis. Elles «traient» les pucerons en leur caressant l'abdomen avec leurs antennes. Les pucerons produisent alors une substance sucrée, la miellée. Les fourmis recueillent la miellée et la rapportent à la fourmilière.

FOURMIS-PARASOLS

Ces fourmis coupent les feuilles des plantes et en rapportent les morceaux à la fourmilière. Elles broient les feuilles en petits morceaux qu'elles éparpillent ensuite dans leur jardin souterrain. Des champignons se développent alors sur les feuilles et les fourmis s'en régalent.

FOURMIS GUERRIÈRES

Tu vois ici une fourmi rouge en train de récolter des larves de fourmis noires. La fourmi rouge rapporte les larves à sa fourmilière. Elle élève les fourmis noires jusqu'à l'âge adulte. Les fourmis noires deviennent alors les esclaves des fourmis rouges.

13

DANS LA MAISON

On trouve toutes sortes de bestioles dans la maison. Certaines sont des insectes et d'autres non. Chacune se choisit un endroit particulier dans ta maison.

Autrefois, on mettait des larves de mouches (asticots) sur les plaies. Les asticots nettoyaient la plaie en mangeant les tissus infectés.

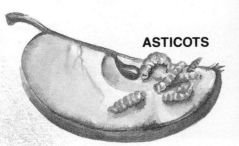

ASTICOTS

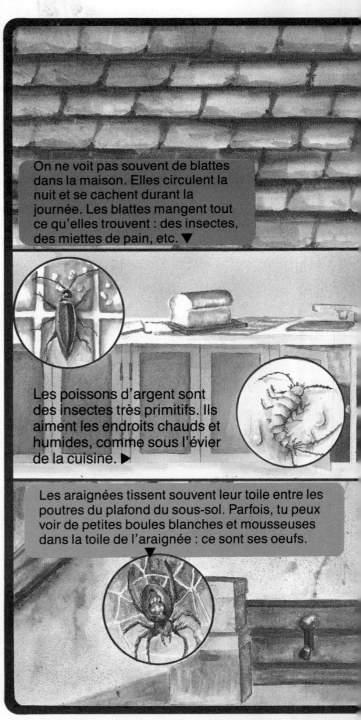

On ne voit pas souvent de blattes dans la maison. Elles circulent la nuit et se cachent durant la journée. Les blattes mangent tout ce qu'elles trouvent : des insectes, des miettes de pain, etc. ▼

Les poissons d'argent sont des insectes très primitifs. Ils aiment les endroits chauds et humides, comme sous l'évier de la cuisine. ▶

Les araignées tissent souvent leur toile entre les poutres du plafond du sous-sol. Parfois, tu peux voir de petites boules blanches et mousseuses dans la toile de l'araignée : ce sont ses oeufs.

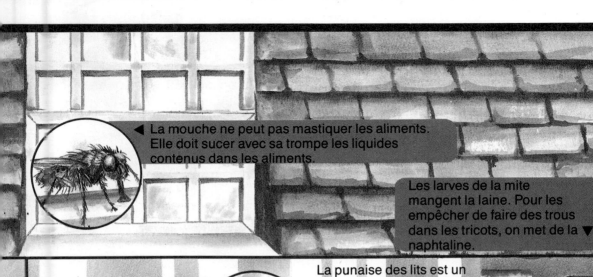

◄ La mouche ne peut pas mastiquer les aliments. Elle doit sucer avec sa trompe les liquides contenus dans les aliments.

Les larves de la mite mangent la laine. Pour les empêcher de faire des trous dans les tricots, on met de la ▼ naphtaline.

La punaise des lits est un insecte. Elle s'installe dans les matelas et se nourrit du sang des animaux à sang chaud, comme toi! Heureusement, on n'en trouve plus très souvent dans nos maisons.

◄ Examine bien les plantes dans ta maison. Est-ce que tu vois de petites boules de mousse blanche sur les tiges? Elles abritent des cochenilles qui se nourrissent en suçant la sève des plantes.

Le cloporte n'est pas un insecte, mais il est amusant à observer. Si tu le touches, il se recroqueville, formant une boule écailleuse. Le cloporte vit dans les endroits sombres et humides.

▼

Si un insecte tombe dans une toile d'araignée, il ▲ s'empêtre dans les fils collants de la toile et devient la proie de l'araignée. Les araignées n'ont pas de mâchoires. Elles sucent leurs proies pour se nourrir.

DANS LES CHAMPS

Les insectes qui se nourrissent de la sève de l'asclépiade ont une chair au goût amer que leurs prédateurs n'aiment pas. Leur couleur orangée signale aux prédateurs qu'ils ne sont pas bons à manger.

Cette punaise s'attache à une graine d'asclépiade pour voler dans les airs. Elle va pondre ses oeufs là où la graine va se poser. Quand les oeufs s'ouvriront, les larves se nourriront de l'asclépiade.

BOURDON

PAPILLON MONARQUE

Les cicadelles sont très communes dans les champs. La plupart sont magnifiquement colorées.

▼

Ce vice-roi ne se nourrit pas de la sève de l'asclépiade, mais il imite les couleurs du monarque pour tromper ses prédateurs.

16

LA VERGE D'OR ABRITE PLUSIEURS ESPÈCES D'INSECTES

Le scarabée-rhinocéros peut atteindre 5 cm de longueur.

Les renflements que l'on voit sur les tiges des verges d'or s'appellent des galles. Leur forme varie. La galle ronde abrite la larve d'une mouche. Pendant l'été et l'automne, la larve mange l'intérieur de la galle. En hiver, elle se transforme en mouche adulte.

Le phymate se cache dans les fleurs et guette sa proie. Ses pattes antérieures longues et griffues lui permettent de capturer des insectes bien plus gros que lui.

Il existe une autre espèce de mouche qui forme une galle différente. Lorsque la femelle de cette mouche pond ses oeufs sur les bourgeons de la plante, elle répand en même temps une substance chimique. Cette substance arrête la croissance de la plante. Toutes les feuilles qui auraient dû pousser le long de la branche poussent maintenant en un même endroit et forment une galle.

◄ La cercope est bien cachée dans son petit crachat. Elle se nourrit ainsi de la sève des plantes en toute sécurité.

◄ En été, la galle à forme allongée abrite une chenille.

DANS LA FORÊT

Dans la forêt, la plupart des insectes, comme les noctuelles, sont presque invisibles. Peux-tu trouver où se cache la noctuelle?

Les livrées se tissent un nid de soie pour se protéger contre les prédateurs. ▼

▼ Le charançon du pin blanc n'est peut-être pas très beau, mais il prend grand soin de ses oeufs. Il les pond dans les aiguilles du pin. Quand les oeufs éclosent, la larve se nourrit des aiguilles du pin.

L'enrouleuse du ▲ tremble vit dans une feuille de tremble qu'elle enroule autour d'elle.

◄ Un pin blanc infesté de charançons est facile à reconnaître : ses aiguilles sont recourbées comme la houlette d'un berger.

L'insecte le plus grand du monde est le phasme d'Afrique. Il peut mesurer jusqu'à 33 cm de long.

La tordeuse turbicole du pin se fabrique un abri en forme de tube en collant ensemble des aiguilles avec une espèce de soie qu'elle sécrète. ▼

Le géomètre est une chenille qui imite la branche de l'arbre pour tromper ses prédateurs. ▼

▲ Les larves mineuses de feuilles sont toutes petites et surtout très minces. Elles vivent dans l'épaisseur des feuilles.

18

Même sous l'écorce des arbres, la vie est pleine de risques. Le pivert peut entendre le bruit que fait un coléoptère bougeant sous l'écorce.▼

SOUS L'ÉCORCE DES ARBRES

◀ La femelle du scolyte creuse une galerie centrale destinée à recevoir ses oeufs.

▲ SCOLYTE

Lorsque les oeufs éclosent, les larves creusent des ▲ galeries rayonnantes, comme celles-ci, dans le bois et dans l'écorce dont elles se nourrissent.

▲ Les fourmis charpentières se creusent de véritables villes dans le bois mort. Malheureusement pour nous, elles ne font pas la différence entre un arbre mort dans la forêt et les planches ou les poutres qui servent à construire nos maisons.

19

LA NUIT

Prépare bien ta nuit d'observation. Pendant le jour, enduis un tronc d'arbre ou un poteau avec du miel ou du sirop de maïs. Quand il fera nuit, prends ta lampe de poche et retourne voir ce qui se passe. Pour ne pas déranger les insectes, recouvre ta lampe de poche avec du papier de soie rouge.

MIEL

La luciole, ou mouche à feu, n'est pas vraiment une mouche; c'est un coléoptère. Elle émet une lueur à intervalles réguliers pour attirer son partenaire.

Dans certains pays, les lucioles émettent une lumière si intense que les habitants les capturent et s'en servent comme lampe de poche.

Pendant la nuit, les insectes utilisent tous leurs sens pour échapper à leurs prédateurs ou pour attirer leurs partenaires.

Pour attirer le mâle, la femelle du papillon de nuit dégage une odeur particulière appelée phéromone.

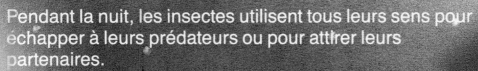

PAPILLON DE NUIT FEMELLE

APANTÈSE VIERGE

POURQUOI LES PAPILLONS DE NUIT SONT-ILS ATTIRÉS PAR LA LUMIÈRE?

Quand un papillon de nuit vole dans la nuit, il se guide toujours d'après la position de la lune. Quand il voit une autre lumière, il la confond avec la lumière de la lune et se dirige vers elle.

La chauve-souris ne résistera pas longtemps à cette apantèse. Quand elle se fait attaquer, l'apantèse projette un poison. Elle se défend aussi contre la chauve-souris en produisant un bruit qui brouille le radar de celle-ci.

Les lucioles ne brûlent pas! Leur lumière provient d'une réaction chimique qui se produit dans leur abdomen.

Grâce à ses longues antennes plumeuses, le cécropia peut détecter les phéromones de très loin.

Les oreilles du papillon de nuit se trouvent dans son abdomen.

Lorsque le papillon entend une chauve-souris s'approcher il se met à voler en décrivant des cercles pour égarer la chauve-souris.

DANS L'EAU

Les libellules volent habituellement à une vitesse d'environ 40 km/h. On prétend qu'elles peuvent atteindre une vitesse de 70 km/h.

La punaise aquatique géante injecte du poison dans sa proie. Grâce à ce poison, elle peut capturer des animaux beaucoup plus gros qu'elle. Tu vois ici un mâle dont la carapace est recouverte d'oeufs pondus par la femelle. ▼

La libellule survole à grande vitesse la surface de l'eau, à la recherche de nourriture. La tête de la libellule pivote librement sur son thorax lui permettant de tourner dans tous les sens. La libellule a une bonne vue; elle repère facilement ses proies. Lorsqu'elle vole, ses pattes se replient pour former une sorte de panier dans lequel elle attrape les insectes. Certaines libellules pondent leurs oeufs en survolant la surface de l'eau.

La nymphe de la libellule se déplace un peu comme un avion à réaction. Elle aspire de l'eau par ses branchies, puis la rejette brusquement. Elle se propulse ainsi très rapidement dans l'eau.

La jeune libellule ne peut respirer que dans l'eau. L'adulte ne peut respirer que dans l'air; dans l'eau, elle se noierait. Lorsque la nymphe est prête à se changer en adulte, elle grimpe sur une plante aquatique, puis change de carapace.

Tu vois ici l'étrange maison de la larve de la phrygane. On trouve autant de sortes de maisons différentes qu'il y a d'espèces de phryganes. Peux-tu trouver une autre maison de phrygane dans cette illustration?

Les insectes ont de nombreux prédateurs.
Les oiseaux sont leurs principaux ennemis.
Peux-tu trouver les deux prédateurs
d'insectes dans l'illustration?

Il y a plus de deux mille
sortes de moustiques sur la
Terre.

La notonecte est un insecte
aquatique qui vit sur le dos.
Comment ses pattes
postérieures sont-elles
adaptées à la vie dans l'eau?

Le patineur patine sur la
surface de l'eau à la
recherche d'insectes. Ses
pattes se terminent par de
petites raquettes qui lui
permettent de ne pas
s'enfoncer dans l'eau.

▼   ▼

Mais tous ne piquent pas. Seules les
femelles sucent notre sang. Les
mâles se nourrissent de la sève des
plantes.

Les moustiques pondent leurs oeufs
dans l'eau. On peut parfois voir les
oeufs flotter à la surface de l'eau,
comme un petit radeau. Quand l'oeuf
s'ouvre, la larve du moustique reste
dans l'eau et respire de l'air grâce à
un tube qui remonte jusqu'à la
surface.

La corise ressemble à la ▲
notonecte, mais elle vit sur le
ventre. La notonecte et la
corise respirent les bulles
d'air qu'elles gardent en
réserve sous leurs ailes.

Le tourniquet a toujours
l'air perdu car il
tourbillonne sans cesse à
la surface de l'eau. Il est
bien adapté à son habitat.
Il a deux paires d'yeux :
une pour voir au-dessus
de l'eau et l'autre pour voir
sous l'eau.

NYMPHE
DE LA
LIBELLULE

Les jeunes libellules (les
nymphes) mangent tout le
temps. Elles mangent
toutes sortes d'insectes,
même des nymphes de
libellules. Elles peuvent
aussi s'attaquer à des
têtards et à des petits
poissons.

EN HIVER

Contrairement aux mammifères et aux oiseaux, les insectes sont des animaux à sang froid. Autrement dit, la température de leur corps est la même que la température ambiante. Plus il fait froid, plus la température de leur corps est basse et ils bougent plus lentement.

Les larves du hanneton s'enfoncent très creux dans le sol pour échapper aux rigueurs de l'hiver.

L'enveloppe de l'oeuf de la mante religieuse est faite d'une matière dure, pleine de bulles d'air. C'est un excellent matériau d'isolation contre les rigueurs de l'hiver.

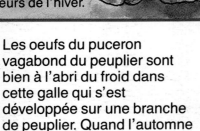

Les oeufs du puceron vagabond du peuplier sont bien à l'abri du froid dans cette galle qui s'est développée sur une branche de peuplier. Quand l'automne vient, les feuilles de l'arbre tombent, mais la galle reste tout l'hiver.

Les oeufs du kermès virgule passent l'hiver bien à l'abri sous la carapace de leur mère.

Le morio se cache tout l'hiver dans un endroit bien protégé des vents e des intempéries.

Pour passer l'hiver à l'abri, la squeletteuse du chêne se tisse un cocon qu'elle accroche aux nervures d'une feuille de chêne.

Vers la fin de l'hiver, tu peux voir des collemboles sauter sur la neige.

Tu peux t'amuser à fouiller dans les feuilles mortes en hiver. Tu y trouveras peut-être des insectes. Et, si tu as de la chance, tu découvriras des dizaines de coccinelles en état d'hibernation.

LA MIGRATION DES MONARQUES

Quelques insectes émigrent pour échapper aux rigueurs de l'hiver. En Amérique du Nord, le plus connu des insectes migrateurs est le papillon monarque. Chaque année, il couvre une distance de 5 000 km pour aller passer l'hiver au Mexique.

On peut les voir le long des lacs Ontario et Érié, où ils se rassemblent en bandes très nombreuses. À la mi-septembre, les branches des arbres sont couvertes de ces papillons orange et noir.

Pour pouvoir observer la migration des monarques, les entomologistes accrochent une petite étiquette à l'aile des papillons. Si tu trouves un papillon avec une étiquette, note bien l'adresse indiquée sur celle-ci. Écris à cette adresse en donnant ton nom, ton adresse et l'endroit exact ou tu as trouvé le papillon.

Les libellules se déplacent aussi suivant les changements de température. En Europe, le ciel se couvre souvent d'une nuée de libellules pendant les périodes de migration.

LES INSECTES MUSICIENS

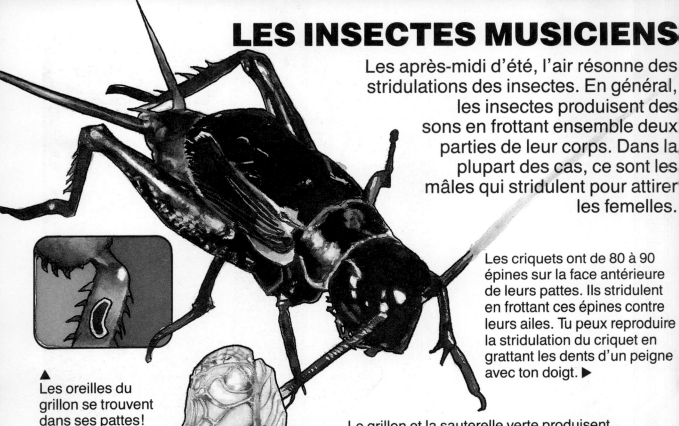

Les après-midi d'été, l'air résonne des stridulations des insectes. En général, les insectes produisent des sons en frottant ensemble deux parties de leur corps. Dans la plupart des cas, ce sont les mâles qui stridulent pour attirer les femelles.

Les criquets ont de 80 à 90 épines sur la face antérieure de leurs pattes. Ils stridulent en frottant ces épines contre leurs ailes. Tu peux reproduire la stridulation du criquet en grattant les dents d'un peigne avec ton doigt. ▶

▲ Les oreilles du grillon se trouvent dans ses pattes!

Le grillon et la sauterelle verte produisent leur stridulation en frottant leurs ailes les unes contre les autres. La face inférieure de l'aile du haut est rugueuse et frotte contre une petite nervure saillante située sur la face supérieure de l'aile du bas. ▼

Dans certains pays, on garde des grillons prisonniers dans des cages ◀ comme des oiseaux, pour pouvoir les entendre chanter (on dit «striduler»).

DIX-SEPT ANS SOUS TERRE!

Les larves de la cigale de dix-sept ans vivent sous la terre et se nourrissent de racines. Au bout de dix-sept ans, elles remontent à la surface du sol. ▶

Elles grimpent dans les arbres et se transforment en adultes — si les oiseaux ne les mangent pas avant! Quand leur carapace et leurs ailes sont bien séchées, les mâles se mettent à chanter pour attirer les femelles. Après l'accouplement, la femelle pond ses oeufs dans l'écorce des arbres. Quand l'oeuf s'ouvre, la nymphe tombe sur le sol et s'enfonce dans la terre.

La cigale a une façon très particulière de striduler, qui ne se retrouve chez aucun autre insecte. Dans son abdomen se trouve un tambour. Quand elle contracte puis relâche ses muscles, la peau du tambour vient frapper sur les parois de l'abdomen.

Il existe plusieurs espèces de cigales, qu'on peut entendre chanter l'été. Plus il fait chaud, plus elles chantent.

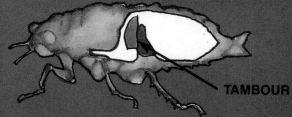

TAMBOUR

Durant les quelques semaines que dure sa vie d'adulte, le mâle de la sauterelle verte émet jusqu'à 50 millions de stridulations.

27

LES INSECTES LAIDS, NUISIBLES

As-tu déjà vu une pomme piquée des vers? On dit «piquée des vers», mais ce n'est pas un ver qui est dans la pomme, c'est un asticot, c'est-à-dire une larve de mouche.

La larve du charançon de la carotte se nourrit de carottes et de céleris dans lesquels elle creuse des tunnels. (Tu trouves que la larve du charançon est bien laide, mais as-tu vu l'adulte?)

Le sphinx de la tomate est magnifique, mais il est très nuisible dans ton potager. Il mange les plants de tomates et de poivrons.

Le scarabée japonais est très beau, mais il mange presque tout ce qu'il trouve. Si tu ne le surveilles pas, il ne te laissera rien à manger.

Les perce-oreilles sont très laids, mais ils ne sont pas nuisibles. Ils mangent seulement les plantes fanées ou mortes.

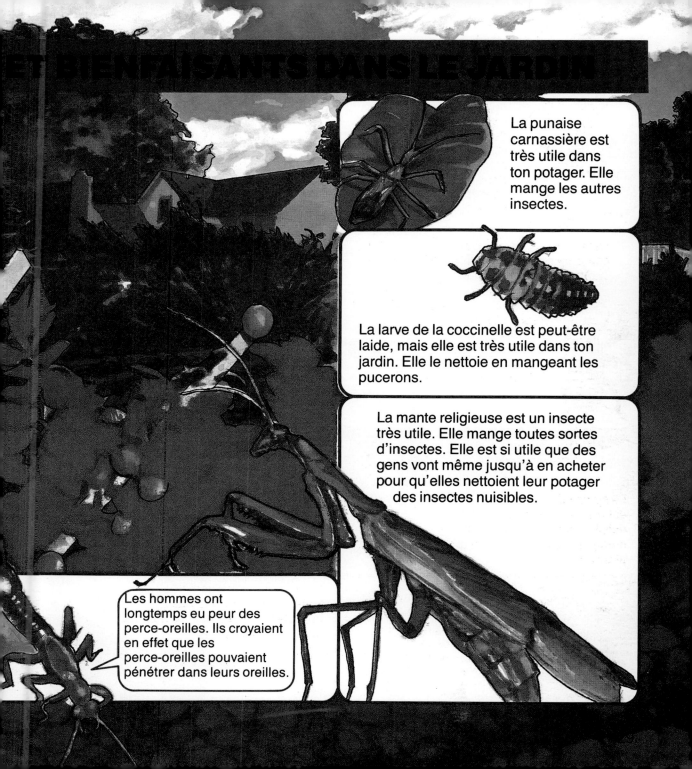

La punaise carnassière est très utile dans ton potager. Elle mange les autres insectes.

La larve de la coccinelle est peut-être laide, mais elle est très utile dans ton jardin. Elle le nettoie en mangeant les pucerons.

La mante religieuse est un insecte très utile. Elle mange toutes sortes d'insectes. Elle est si utile que des gens vont même jusqu'à en acheter pour qu'elles nettoient leur potager des insectes nuisibles.

Les hommes ont longtemps eu peur des perce-oreilles. Ils croyaient en effet que les perce-oreilles pouvaient pénétrer dans leurs oreilles.

TA COLLECTION D'INSECTES

Tu peux fabriquer
un bon filet
avec un bas
de nylon.

Avec une loupe, tu peux examiner le corps fascinant des insectes dans le détail.

1. Prends un fil de fer assez gros. Recourbe-le en forme de cercle, en laissant environ 30 cm de fil droit à chaque bout.

2. Fais glisser le bas de nylon dans le cercle et retourne les bords sur le fil de fer. Couds-le tout le tour.

3. Glisse un bâton entre les deux bouts de fil de fer et fixe le tout avec du ruban adhésif.

4. Quand tu attrapes un insecte, tu n'as qu'à tordre le filet pour l'emprisonner.

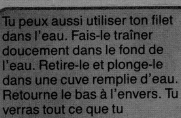

Tu peux aussi utiliser ton filet dans l'eau. Fais-le traîner doucement dans le fond de l'eau. Retire-le et plonge-le dans une cuve remplie d'eau. Retourne le bas à l'envers. Tu verras tout ce que tu trouveras!

Pour savoir quels insectes vivent dans les arbres, il te faut une grande feuille de papier blanc et un bâton. Étends la feuille de papier sous une branche d'arbre. Secoue la branche avec ton bâton et observe bien ce qui se passe. Ta feuille de papier blanc est couverte de petits insectes.

UN INSECTARIUM

Mets 2 cm de terre au fond d'un pot. Ajoute des feuilles de la plante sur laquelle tu as trouvé l'insecte que tu veux y installer. Ainsi, il aura à manger. Dés que les feuilles sont fanées, remplace-les par des fraîches. Garde ton pot dans un endroit ombragé.

Fais attention : les insectes ont besoin d'air pour respirer. N'oublie pas de percer des trous dans le couvercle du pot, sinon ils vont étouffer.

LA CHASSE AUX INSECTES

Il y a dix insectes cachés dans la forêt.
Cherche-les.

(Réponses à la page 32)

Chez les anciens
Égyptiens, les scarabées
étaient des animaux
sacrés.

GLOSSAIRE

ABDOMEN
Partie postérieure du corps de l'insecte.
L'abdomen renferme le coeur, l'appareil digestif
et l'appareil respiratoire.

ANTENNE
Petite tige longue et fine, attachée à la tête de
l'insecte.

ASTICOT
Larve de la mouche

CHENILLE
Larve du papillon

COCON
Enveloppe protectrice dans laquelle l'insecte
passe le stade pupal.

COUVAIN
Oeufs des insectes qui vivent en société.

ENTOMOLOGISTE
Scientifique spécialiste des insectes.

EXOSQUELETTE
Carapace rigide qui recouvre le corps de
l'insecte.

LARVE
Étui de l'insecte après être sorti de l'oeuf et
avant de devenir une pupe ou un adulte.

MÉTAMORPHOSE
Série de transformations que subit l'insecte, à
partir de l'oeuf jusqu'à l'âge adulte.

MÉTAMORPHOSE COMPLÈTE
Métamorphose des insectes qui ont un stade
pupal. La métamorphose complète a quatre
stades : oeuf, larve, pupe, adulte.

MÉTAMORPHOSE INCOMPLÈTE
Métamorphose des insectes qui n'ont pas de
stade pupal. La métamorphose incomplète a
trois stades : oeuf, larve, adulte.

PUPE
Troisième stade de la métamorphose complète,
pendant lequel la larve se transforme en adulte.
On dit aussi le «stade pupal».

THORAX
Partie du corps de l'insecte située entre la tête
et l'abdomen. Les pattes sont attachées au
thorax.

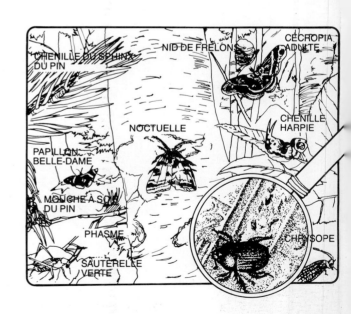